KB103335

짧고 좋은 인생 명언 따라 쓰기

짧고 좋은 인생 명언 따라 쓰기

발 행 | 2024년 02월 14일

저 자 | 인생명언연구소

펴낸이 | 한건희

펴낸곳 | 주식회사 부크크

출판사등록 | 2014.07.15.(제2014-16호)

주 소 | 서울특별시 금천구 가산디지털1로 119 SK트윈타워 A동 305호

전 화 | 1670-8316

이메일 | info@bookk.co.kr

ISBN | 979-11-410-7150-9

짧고 좋은 인생명언 따라쓰기

인생명언연구소 저

목차

머리말

명언 따라 쓰기

머리말

명언이란 무엇인가?

명언은 어떤 교훈이나 가르침을 주는 말 또는 학문 등의 핵심을 간략하게 외우고 말하기 쉽게 그 내용을 간결하고 짧은 문장으로 표현한 것을 가리킵니다.

〈명언의 특징〉

* 간결하고 명확한 문장: 명언은 짧고 기억하기 쉬운 문장으로 되어 있어 누구나 쉽게 이해하고 암송할 수 있습니다.
* 깊은 의미: 명언은 짧은 문장 속에 깊은 의미와 교훈을 담고 있습니다.
* 다양한 분야: 명언은 철학, 종교, 역사, 문학, 과학 등 다양한 분야에서 찾을 수 있습니다.
* 시대를 초월하는 가치: 명언은 시대를 초월하여 사람들에게 영감을 주고 삶의 지침이 될 수 있습니다.

〈명언의 활용〉

* 생활 속에서: 명언은 우리의 삶에 지혜와 용기를 주고, 어려움을 극복하도록 도와줍니다.

* 교육 분야: 명언은 학생들에게 올바른 가치관을 함양하고 사고력을 키우는 데 도움이 됩니다.

* 문학 분야: 명언은 문학 작품의 주제를 표현하거나 독자들에게 교훈을 주는 데 활용됩니다.

〈명언의 예시〉
"직업에서 행복을 찾아라, 아니면 행복이 무엇인지 절대 모를 것이다." - 엘버트 허버드

"실패는 성공의 어머니이다." - 토마스 에디슨

"천천히 가는 것이 빨리 가는 것이다." - 에소포

"인생은 짧으니, 그것을 낭비하지 마라." - 스티브 잡스

"진정한 지식은 경험에서 나온다." - 레오나르도 다빈치

명언은 우리 삶에 지혜와 용기를 주고, 더 나은 삶을 살도록 도와주는 귀중한 가치입니다.

명언 따라 쓰기

1. 준비물

- 종이
- 연필 또는 볼펜
- 좋아하는 명언

2. 따라 쓰기

- 좋아하는 명언을 선택합니다.
- 명언을 천천히 읽고 의미를 파악합니다.
- 명언을 한 글자씩 깨끗하게 따라 씁니다.
- 글씨를 쓰면서 명언의 의미를 생각해봅니다.

3. 추가 활동

- 명언을 자신의 말로 해석해 봅니다.
- 명언과 관련된 자신의 경험을 적어봅니다.
- 명언을 그림이나 만화로 표현해 봅니다.
- 명언을 다른 사람과 함께 생각을 나누어 봅니다.

4. 명언 따라 쓰기의 효과

- 집중력 향상
- 사고력 향상
- 글씨체 개선
- 명상 효과
- 감성 함양
- 창의력 향상

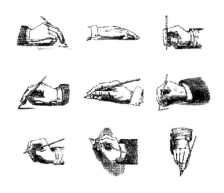

명언 따라 쓰기는 짧은 시간 투자로 큰 효과를 얻을 수
있는 좋은 습관입니다.

오늘부터 명언 따라 쓰기를 시작해 보세요!

긍정

에너지 충전

짧고
좋은
인생
명언
따라
쓰기

가난은 가난하다고, 느끼는 곳에 존재한다.

■ 명언 생각

〈랄프 왈도 에머슨〉의 말로, 가난은 주로 마음속에서 느끼는 것이라는 의미를 담고 있습니다.

가난은 단순히 재정적인 상태만을 의미하는 것이 아닙니다. 때로는 우리가 가진 것에 대한 인식과 태도가 가난을 결정할 수 있습니다.
자신이 가진 것에 만족하지 않고 부족함을 느끼는 순간, 그곳에서 가난이 발생한다고 볼 수 있습니다.

따라서 감사하고 만족하는 마음을 갖는 것이 중요하며, 자신의 관점을 바꾸고 긍정적으로 생각하는 것이 가난을 극복하는 첫걸음이라는 메시지를 전달합니다.

가난은 가난하다고,

느끼는 곳에 존재한다.

▶ 생각 정리

겨울이 오면 봄이 멀지 않으리!

■ 명언 생각

〈퍼시 셸리〉라는 영국의 낭만파 시인이 서풍의 노래에서 읊은 구절입니다.

희망과 기다림: 겨울은 어둠과 추위를 상징하며, 그런 어려운 시기에도 봄이 다가온다는 희망을 갖자는 메시지입니다.

삶이 어려울 때에도 끝없는 기다림 속에서 희망을 잃지 말고 참고 견디면 반드시 좋은 날이 온다는 것을 상기시키는 구절입니다.

우리가 어려운 상황에서도 긍정적인 마음가짐을 갖고 미래를 기대할 수 있도록 도와줍니다.

겨울이 오면 봄이 멀지 않으리!

▶ 생각 정리

계단을 밟아야
계단 위에 올라설 수 있다.

■ 명언 생각

〈터키 속담〉으로, 성공을 이루기 위해서는 시작하는 것이 중요하다는 의미를 담고 있습니다.

우리가 어떤 큰 목표를 향해 나아가기 시작할 때, 작은 단계부터 시작해야 한다는 것을 강조합니다. 마치 계단을 한 칸씩 올라가듯이, 우리는 큰 목표를 달성하기 위해 작은 시작을 해야 합니다.

또한, 끊임없는 노력과 실행이 성공의 핵심이라는 메시지를 전달합니다. 계단을 밟는 순간부터 우리는 목표에 한 걸음 더 가까워지며, 이러한 노력이 결국 큰 성과로 이어질 수 있다는 것을 상기시킵니다.

계단을 밟아야

계단 위에 올라설 수 있다.

▶ 생각 정리

고개 숙이지 마십시오, 세상을 똑바로 정면으로 바라보십시오!

■ 명언 생각

〈헬렌 켈러〉의 명언으로 우리가 어떤 어려움이나 역경에 직면했을 때, 낙심하지 말고 당당하게 정면으로 직시하며 극복하라는 의미를 담고 있습니다.

헬렌 켈러는 자신이 시각, 청각, 말하기 능력을 잃은 상태에서도 끊임없는 노력과 긍정적인 마음가짐으로 성공적인 삶을 살아갔습니다.

그녀는 우리에게 어떤 상황에서도 희망을 잃지 않고, 어려움을 극복하는 힘을 갖도록 도와줍니다.

고개 숙이지 마십시오. 세상을

똑바로 정면으로 바라보십시오!

▶ 생각 정리

고난의 시기에 동요하지 않는 것은, 진정 칭찬받을 만한 뛰어난 인물의 증거다.

■ 명언 생각

〈베토벤〉의 명언으로 뛰어난 인물은 어려운 상황에서도 흔들리지 않고 극복하는 능력을 갖추고 있다는 의미를 담고 있습니다.

베토벤은 자신의 음악적 업적을 위해 많은 고난과 어려움을 겪었지만, 그런 상황에서도 끊임없는 열정과 노력으로 성공을 이뤘습니다.

우리에게 어떤 어려움이든지 당당하게 맞서고, 흔들리지 않고 노력하는 태도가 중요하다는 교훈을 전달합니다.

고난의 시기에 동요하지 않는

것은, 진정 칭찬받을 만한 뛰어난

인물의 증거다.

▶ 생각 정리

고통이 남기고 간 뒤를 보라! 고난이 지나면 반드시 기쁨이 스며든다.

■ 명언 생각

〈괴테〉의 명언은 어려움과 고통을 겪은 뒤에는 반드시 기쁨과 만족이 찾아온다는 의미를 담고 있습니다.

우리가 어떤 어려운 상황을 겪을 때, 그 고통을 극복하고 나면 더 큰 기쁨과 만족을 느낄 수 있다는 희망을 전해줍니다.

고난과 어려움은 성장과 배움의 기회이며, 그것을 이겨내면 더 나은 미래가 기다리고 있다는 메시지를 담고 있습니다.

고통이 남기고 간 뒤를 보라!

고난이 지나면 반드시 기쁨이

스며든다.

위에 비교하면 족하지 못하나, 아래에 비교하면 남음이 있다.

■ 명언 생각

〈명심보감〉의 명언으로 우리가 다른 사람과 비교할 때 어떤 기준으로 비교하느냐에 따라 만족도가 달라진다는 의미를 담고 있습니다.

*위를 비교하면 족하지 못하다: 다른 사람들과 비교할 때 자신보다 더 나은 사람과 비교하면 부족함을 느낄 수 있습니다. 이런 비교는 우리의 자존감을 낮출 수 있습니다.
*아래에 비교하면 남음이 있다: 그러나 자신보다 더 어려운 상황에 있는 사람과 비교하면, 우리는 더 많은 것을 가지고 있다고 느낄 수 있습니다. 이런 비교는 우리를 만족스럽게 만들어 줄 수 있습니다.

자신의 성취와 상황을 다양한 관점에서 바라보며, 감사하고 만족하는 태도를 갖는 것이 중요하다는 메시지를 전달합니다.

위에 비교하면 족하지 못하나,

아래에 비교하면 남음이 있다.

▶ 생각 정리

그대의 하루를
마지막 날이라고 생각하라!

■ 명언 생각

〈호라티우스〉의 명언은 우리가 삶을 즐기고 감사하며, 현재의 순간을 소중히 여기는 것이 중요하다는 것을 강조합니다.

일상 속에서 자주 놓치는 것들, 사소한 순간들이 우리 인생의 중요한 부분이라는 것을 상기시켜 줍니다.

우리는 언제 어떤 상황에서든 최선을 다하고, 감사하며 살아가야 한다는 메시지를 담고 있습니다.

그대의 하루 하루를 소중히 여기고, 마지막 날처럼 살아가는 것이 행복한 삶의 비밀이라고 할 수 있습니다.

그대의 하루를 마지막 날이라고

생각하라!

▶ 생각 정리

길을 잃는 다는 것은,
곧 길을 알게 된다는 것이다.

■ 명언 생각

〈동아프리카 속담〉으로 삶의 여정에서 방향을 잃거나 어려움을 겪을 때, 그 과정 속에서 우리는 더 나은 길을 찾게 된다는 의미를 담고 있습니다.

여기서 "길을 잃는다"는 실패, 어려움, 혼란, 혹은 방향성을 잃는 상황을 의미합니다. 그러나 이런 상황에서 우리는 새로운 길을 찾기 위해 노력하고 배우며 성장합니다.
결국에는 더 나은 방향을 찾게 되고, 그 과정에서 우리는 더 많은 지혜와 경험을 얻게 됩니다.

우리에게 희망과 격려를 주며, 어떤 상황에서도 포기하지 말고 끊임없이 노력하고 탐색하는 중요성을 상기시켜 줍니다.

길을 잃는 다는 것은,

곧 길을 알게 된다는 것이다.

▶ 생각 정리

꿈을 계속 간직하고 있으면 반드시 실현할 때가 온다.

■ 명언 생각

〈괴테〉의 명언은 우리가 삶을 즐기고 감사하며, 현재의 순간을 소중히 여기는 것이 중요하다는 것을 강조합니다.

그대의 꿈을 지키며 노력하면 언젠가 반드시 그 꿈이 현실로 이어질 것입니다.
노력은 결코 배신하지 않습니다. 그대의 꿈을 간직하고, 지금 당장 행동으로 옮겨보세요!

꿈을 지키며 노력하면 언젠가 반드시 그 꿈이 현실로 이어질 것이라는 희망과 격려를 주는 말입니다.

꿈을 계속 간직하고 있으면

반드시 실현할 때가 온다.

▶ 생각 정리

내 비장의 무기는 아직
손안에 있다, 바로 희망이다.

■ 명언 생각

〈나폴레옹〉의 명언은 우리가 어떤 어려움이나 상황에서도 희망을 잃지 않아야 한다는 것을 강조합니다.

비장의 무기는 결코 손에서 놓지 않아야 한다는 의미입니다. 그것은 희망이라고 합니다. 때로는 현실이 힘들고 절망적일 수 있지만, 그 안에도 희망의 씨앗이 있습니다.

모든 상황에서 희망을 간직하고, 끊임없이 노력하며 앞으로 나아가는 것이 중요합니다.

그대의 비장의 무기, 그것이 바로 희망입니다.

내 비장의 무기는 아직

손안에 있다, 바로 희망이다.

▶ 생각 정리

내일은 내일의 태양이 뜬다.

■ 명언 생각

〈비비안 리〉가 연기한 '스칼렛 오하라'의 명대사 중 하나인 "내일은 내일의 태양이 뜬다."는 깊은 의미를 담고 있습니다. 희망과 낙관주의를 상징하며, 어떤 어려운 상황에서도 희망을 잃지 않아야 한다는 메시지를 전달합니다.

원본 영어 대사는 "After all, tomorrow is another day"로, "내일 일에 대해 오늘 염려할 것이 없다"는 의미를 정말 멋있게 번역한 것입니다. 우리에게 미래를 기대하고, 오늘의 어려움을 넘어서며 힘을 내라는 격려를 주는 말입니다.

내일은 새로운 시작이며, 우리는 희망을 간직하며 더 나은 미래를 향해 나아가야 합니다. 그대의 비장의 무기, 그것이 바로 희망입니다.

내일은 내일의 태양이 뜬다.

▶ 생각 정리

자신의 불행을 생각하지 않게 되는 가장 좋은 방법은 일에 몰두하는 것이다.

■ 명언 생각

〈베토벤〉의 명언은 어떤 어려운 상황이나 불행한 일이 있을 때, 그것에 집중하고 노력하는 것이 해결책이라는 것을 강조합니다.

일에 몰두하면 우리는 자연스럽게 불필요한 걱정이나 불행에 대한 생각을 떨쳐낼 수 있습니다.

집중하고 노력하는 과정에서 우리는 새로운 가능성을 찾고, 문제를 해결하는 방법을 찾게 됩니다.

우리에게 희망과 긍정적인 태도를 심어주며, 어려움을 극복하는 힘을 주는 말입니다.

자신의 불행을 생각하지 않게

되는 가장 좋은 방법은 일에

몰두하는 것이다.

▶ 생각 정리

눈물 젖은 빵을
먹어 보지 않은 자는
인생의 참다운 맛을 모른다.

■ 명언 생각

〈괴테〉의 명언은 어떤 어려운 상황이나 고통 속에서도 우리는 진정한 기쁨과 만족을 느낄 수 있다는 것을 강조합니다.

빵은 일상적이고 보통의 음식입니다. 그러나 눈물과 함께 빵을 먹는다면, 그 순간은 특별하고 감동적입니다.
우리가 어려움을 극복하고 힘들게 얻은 것들은 더욱 소중하며, 그것들이 인생의 참다운 맛이 됩니다.

우리에게 희망과 감사의 마음을 심어주며, 어려움을 이겨내고 노력하는 과정에서 찾아지는 진정한 행복을 기억하라는 메시지를 전달합니다.

눈물 젖은 빵을 먹어 보지

않은 자는 인생의 참다운 맛을

모른다.

▶ 생각 정리

단순하게 살라, 쓸데없는 절차와 일 때문에 얼마나 복잡한 삶을 살아가는가?

■ 명언 생각

〈이드리스 샤흐〉의 명언은 우리가 간단하고 순수한 방식으로 살아가는 것이 얼마나 중요한지를 강조합니다.

현대 사회에서는 복잡한 절차와 불필요한 일들이 우리의 삶을 어렵게 만들 수 있습니다.

우리에게 단순함과 직관성을 지키며 살아가는 것이 행복하고 평온한 삶의 비결이라는 메시지를 전달합니다.

때로는 간단한 선택과 직접적인 행동이 더 나은 길을 열어줄 수 있습니다. 그래서 우리는 복잡한 것들을 최소화하고, 단순하게 살아가는 방법을 찾아보아야 합니다.

단순하게 살라,

쓸데없는 절차와 일 때문에

얼마나 복잡한 삶을 살아가는가?

▶ 생각 정리

행복은
당신의 영혼이 무엇을
노래하는가에 따라 결정된다.

■ 명언 생각

〈낸시 설리번〉의 명언은 우리가 어떤 것이 우리의 영혼을 기쁘게 하고 행복하게 만드는지를 고민하고 찾아보아야 한다는 것을 강조합니다.

우리는 각자 다양한 가치관과 삶의 목적을 가지고 있습니다. 때로는 성공, 가족, 사랑, 자아실현, 자유, 미래의 희망 등이 우리의 영혼을 노래하게 합니다.

우리에게 자신의 내면을 탐색하고, 진정한 행복을 찾아가는 과정에서 노력하라는 메시지를 전달합니다.

우리의 행복은 우리 자신이 선택하고 결정하는 것이며, 그것이 우리의 영혼을 노래하게 하는 길이 됩니다.

행복은

당신의 영혼이 노래하는가에 따라

결정된다.

▶ 생각 정리

당신이 할 수 있다고 믿든, 할 수 없다고 믿든, 믿는 대로 될 것이다.

■ 명언 생각

〈헨리 포드〉의 명언은 우리의 믿음이 우리의 행동과 결과에 큰 영향을 미친다는 것을 강조합니다.

우리가 어떤 일을 시작할 때, 자신의 능력과 가능성을 믿는 것이 중요합니다. 긍정적인 마인드 셋으로 일에 임하면 더 나은 결과를 얻을 수 있습니다.
반대로, 자신의 능력을 의심하고 부정적으로 생각한다면 성취하기 어렵습니다.

우리에게 자신을 믿고 노력하는 중요성을 상기시켜 줍니다. 우리가 믿는 대로 행동하고 노력하면, 그것이 우리의 성공과 행복으로 이어질 것입니다.

당신이 할 수 있다고 믿든,

할 수 없다고 믿든,

믿는 대로 될 것이다.

▶ 생각 정리

도중에 포기하지 말라, 망설이지 말라, 최후의 성공을 거둘 때까지 밀고 나가자!

■ 명언 생각

〈헨리 포드〉의 명언은 우리가 어떤 일을 시작할 때, 끊임없이 노력하고 포기하지 않는다면 결국 성공을 이룰 수 있다는 것을 강조합니다.

도중에 어려움이 있을 때, 망설이지 말고 끝까지 밀고 나가는 것이 중요합니다.

성공은 노력과 인내의 결정적인 요소입니다. 우리가 목표를 향해 꾸준히 나아가며, 최후의 성공을 이루기 위해 노력하는 자세가 필요합니다.

우리에게 희망과 인내를 심어주며, 어떤 상황에서도 포기하지 않고 최선을 다하자는 메시지를 전달합니다.

도중에 포기하지 말라,

망설이지 말라, 최후의 성공을

거둘 때까지 밀고 나가자!

▶ 생각 정리

돈이란 바닷물과도 같다, 마시면 마실수록 목이 말라진다.

■ 명언 생각

〈쇼펜하우어〉의 명언은 돈이 무한하게 쌓이는 것이 아니라, 더욱 탐욕스러워지고 욕심을 부추기는 경향이 있다는 것을 강조합니다.

돈은 우리의 삶에서 중요한 역할을 합니다. 그러나 돈에만 집착하고 탐욕스러워지면, 우리는 끝없는 욕심 속에서 행복을 잃게 될 수 있습니다. 우리에게 돈을 올바르게 다루고, 욕심을 내지 않는 것이 중요하다는 메시지를 전달합니다.

돈은 필요하지만, 그것이 우리의 삶의 목적이 되어서는 안 됩니다. 우리는 돈을 통해 편안한 삶을 살 수 있지만, 그 외에도 가족, 사랑, 건강, 성장, 경험 등 다양한 가치들이 우리의 삶을 풍요롭게 만듭니다.

돈이란 바닷물과도 같다,

마시면 마실수록 목이 말라진다.

▶ 생각 정리

되찾을 수 없는 게 세월이니,
시시한일에 시간을 낭비하지 말고
순간을 후회 없이 잘 살아야 한다.

■ 명언 생각

〈장 자크 루소〉의 명언은 우리가 어떤 일을 시작할 때, 끊임없이 노력하고 포기하지 않는다면 결국 성공을 이룰 수 있다는 것을 강조합니다.

세월은 되돌릴 수 없는 것이기 때문에, 시시한 일에 시간을 낭비하지 말고 현재의 순간을 소중히 여기며 살아가야 한다는 메시지입니다.

우리는 지금의 순간을 후회 없이 살아가면서 더 나은 미래를 만들어 나가야 합니다.

되찾을 수 없는 게 세월이니,

시시한 일에 시간을 낭비하지 말고

순간을 후회 없이 잘 살아야 한다.

▶ 생각 정리

마음만을 가지고 있어서는 안 된다, 반드시 실천하여야 한다.

■ 명언 생각

〈이소룡〉의 명언은 우리가 어떤 일을 시작할 때, 끊임없이 노력하고 포기하지 않는다면 결국 성공을 이룰 수 있다는 것을 강조합니다.

자신의 목표나 꿈을 가지고 있을 때, 그것을 실천하지 않고 단순히 마음속에만 간직한다면 어떤 변화도 일어나지 않습니다. 우리는 행동으로 옮기고 노력하여야 합니다. 그리고 그 노력이 결국 성공으로 이어질 수 있습니다.

우리에게 자신을 믿고 행동하는 중요성을 상기시켜주며, 단순한 생각이 아니라 실천으로 이어지는 길을 선택하자는 메시지를 전달합니다.

마음만을 가지고 있어서는 안 된다,

반드시 실천하여야 한다.

▶ 생각 정리

만약, 우리가 할 수 있는 일을 모두 한다면 우리자신에게 깜짝 놀랄 것이다.

■ 명언 생각

〈토마스 에디슨〉의 명언은 우리가 끊임없이 노력하고 가능성을 최대한 발휘한다면, 우리는 자신의 능력과 성취에 깜짝 놀라게 될 것이라는 것을 강조합니다.

우리에게 자신을 믿고 노력하는 중요성을 상기시켜주며, 가능성을 최대한 활용하여 노력하면 더 나은 결과를 얻을 수 있다는 메시지를 전달합니다.

우리는 자신의 능력을 믿고, 끊임없이 노력하며 성장해 나가야 합니다.

만약, 우리가 할 수 있는 일을

모두 한다면 우리자신에 깜짝

놀랄 것이다.

▶ 생각 정리

만족할 줄 아는 사람은 진정한 부자이고, 탐욕스러운 사람은 진실로 가난한 사람이다.

■ 명언 생각

〈솔론〉의 명언은 우리가 물질적인 부와 성공만을 추구하는 것이 아니라, 만족과 감사의 마음을 갖는 것이 진정한 부와 풍요로움 이라는 것을 강조합니다.

탐욕과 욕심은 끝이 없기 때문에, 무엇을 얻더라도 만족하지 못하게 됩니다. 그러나 만족과 감사의 마음을 갖는다면, 우리는 이미 풍요로운 삶을 살고 있다는 것을 깨닫게 됩니다.

우리에게 자신의 가치와 행복을 찾는 방법을 상기시켜주며, 탐욕과 욕심을 버리고 만족과 감사를 추구하자는 메시지를 전달합니다.

만족할 줄 아는 사람은 진정한

부자이고, 탐욕스러운 사람은

진실로 가난한 사람이다.

▶ 생각 정리

● 오늘 명언 엘사 맥스웰

먼저 자신을 비웃어라,
다른 사람이 당신을 비웃기 전에.

■ 명언 생각

〈엘사 맥스웰〉의 명언은 자신을 가볍게 받아들이고, 타인의 비웃음에 민감하지 않도록 하는 것이 중요하다는 것을 강조합니다.

우리는 자신을 믿고, 자신의 능력을 인정하는 자세를 가져야 합니다. 만약 우리가 자신을 비웃고 부정적으로 생각한다면, 다른 사람들도 그렇게 생각할 가능성이 높아집니다.
그러나 자신을 긍정적으로 받아들이고 믿는다면, 타인의 시선에 휘둘리지 않고 자신의 길을 걷게 될 것입니다.

우리에게 자신을 믿고, 자신의 능력을 발휘하며, 타인의 비웃음에 흔들리지 않는 자세를 갖자는 메시지를 전달합니다.

먼저 자신을 비웃어라,

다른 사람이 당신을 비웃기 전에.

▶ 생각 정리

먼저 핀 꽃은 먼저 진다, 남보다 먼저 공을 세우려고 조급히 서둘 것이 아니다.

■ 명언 생각

〈채근담〉 명언은 우리가 어떤 일을 시작할 때, 끊임없이 노력하고 포기하지 않는다면 결국 성공을 이룰 수 있다는 것을 강조합니다.

세상에는 이미 많은 사람들이 같은 목표를 향해 노력하고 있습니다. 그러나 우리는 남들과 비교하지 않고, 자신만의 속도로 노력하며 성장해 나가야 합니다.
누구도 시행해보지 않은 것을 처음 시작한다면 사람들의 시선을 끌게 될 수도 있고 아닐 수도 있습니다. 경험에 대한 이력이 없기 때문에 실패와 성공의 확률조차 알 수 없습니다.

우리에게 자신을 믿고, 자신만의 속도로 노력하며 성공을 이루자는 메시지를 전달합니다.

먼저 핀 꽃은 먼저 진다,

남보다 먼저 공을 세우려고

조급히 서둘 것이 아니다.

▶ 생각 정리

문제는 목적지에
얼마나 빨리 가느냐가 아니라,
목적지가 어디냐는 것이다.

■ 명언 생각

〈메이벨 뉴컴버〉의 명언은 자신만의 속도로 꾸준히 노력하며 성
장해 나가세요.

*목표 설정: 먼저 목표를 설정하세요. 어떤 분야에서 성장하고
싶은지, 어떤 목표를 이루고 싶은지 명확하게 정해보세요.
*개인적인 기준: 다른 사람들과 비교하지 말고, 자신만의 기준
을 세우세요. 다른 사람들의 성공이나 속도에 휘둘리지 않도록
하세요.
*계획 수립: 목표를 달성하기 위한 계획을 세우세요. 어떤 단계
를 거쳐서 목표를 이룰 것인지 계획을 세우는 것이 중요합니다.
*자기 관리: 자신의 체력과 정신력을 관리하세요. 너무 과도한
노력은 오히려 효과를 떨어뜨릴 수 있습니다.
*지속적 노력: 목표를 이루기 위해 꾸준한 노력이 필요합니다.

문제는 목적지에

얼마나 빨리 가느냐가 아니라,

그 목적지가 어디냐는 것이다.

▶ 생각 정리

문제점을 찾지 말고, 해결책을 찾으라!

■ 명언 생각

〈헨리 포드〉의 명언은 우리가 어떤 문제를 마주하더라도, 그 문제의 원인이나 잘못된 점을 찾는 것보다는 해결책을 찾는 것이 더 중요하다는 것을 강조합니다.

문제를 발견하고 분석하는 것은 중요하지만, 그것만으로는 해결되지 않습니다. 우리는 문제를 해결하기 위해 적극적으로 해결책을 찾아야 합니다.

문제를 발견하고 끊임없이 해결책을 모색하며 성장해 나가는 자세가 필요합니다.

우리에게 문제를 두려워하지 말고, 적극적으로 해결책을 찾아나가자는 메시지를 전달합니다.

문제점을 찾지 말고,

해결책을 찾으라!

▶ 생각 정리

별을 바라보는 자에게 빛을 준다.

■ 명언 생각

우리가 다른 사람을 도와주고 배려하는 행동이 결국 그 사람에게도 긍정적인 영향을 미친다는 것을 강조합니다. 별은 어둠 속에서 빛을 발산하듯이, 우리도 다른 사람을 지지하고 격려하는 힘을 가질 수 있습니다. 우리의 선행과 배려가 주변 사람들에게 빛과 희망을 전해줄 수 있다는 메시지입니다.

*친절한 행동: 주변 사람들에게 친절하게 대하고, 웃음과 인사를 건네세요. 작은 친절이 큰 차이를 만들 수 있습니다.

*지원과 공유: 다른 사람이 어려움을 겪고 있다면, 도와줄 수 있는 방법을 찾아보세요. 지식, 시간, 물건, 노력 등을 공유해보세요.

*관심과 듣기: 상대방의 이야기를 경청하고, 관심을 갖는 것이 중요합니다. 상대방이 어떤 어려움이나 기쁨을 느끼는지 이해하려 노력하세요.

별을 바라보는 자에게 빛을 준다.

▶ 생각 정리

비록! 내일 세계의 종말이 온다 할지라도, 나는 오늘 한 그루의 사과나무를 심겠다.

■ 명언 생각

〈스피노자〉의 명언은 미래에 대한 불확실성이 있더라도, 현재의 순간을 소중히 여기고 행동해야 한다는 것을 강조합니다.

사과나무를 심는 행위는 미래를 위한 투자입니다.
우리는 미래에 대한 불확실성을 두려워하지 않고, 현재의 작은 행동으로 미래를 만들어 나가야 합니다.

우리에게 지금 당장 무엇을 할 수 있는지를 생각하고, 작은 일이라도 꾸준히 해나가면 더 나은 미래를 만들 수 있다는 메시지를 전달합니다.

비록! 내일 세계의 종말이 온다

할지라도, 나는 오늘 한 그루의

사과나무를 심겠다.

▶ 생각 정리

사람이 여행을 하는 것은
도착하기 위해서가 아니라,
여행하기 위해서이다.

■ 명언 생각

〈괴테〉의 명언은 우리가 어떤 목적지에 도착하는 것보다는, 여행하는 과정 자체가 중요하다는 것을 강조합니다.

여행은 새로운 경험과 모험, 배움의 기회를 제공합니다. 우리는 여행을 통해 자신을 발견하고, 다양한 사람들과 소통하며 성장할 수 있습니다.

목적지에 도착하는 것도 중요하지만, 그 과정에서 느끼는 감정과 경험들이 더 큰 가치를 지닙니다.

우리에게 여행을 즐기고, 현재의 순간을 소중히 여기며 살아가자는 메시지를 전달합니다.

사람이 여행을 하는 것은

도착하기 위해서가 아니라,

여행하기 위해서이다.

▶ 생각 정리

● 오늘 명언

생텍쥐페리

사막이 아름다운 것은 어딘가에 샘이 숨겨져 있기 때문이다.

■ 명언 생각

〈생텍쥐페리〉의 명언은 우리가 어떤 상황에서도 희망을 가지고 노력하면 결국 해결책이 나타난다는 것을 강조합니다.

사막은 거칠고 고적한 환경이지만, 그 안에도 살아있는 생명을 지탱하는 샘이 숨겨져 있습니다.

우리에게 힘든 상황에서도 포기하지 않고 노력하며, 어려움 속에서도 희망을 찾아야 한다는 메시지를 전달합니다.

자신의 상황과 능력에 맞게 희망을 가지고 노력해보세요. 작은 행동이 큰 변화를 만들 수 있습니다

사막이 아름다운 것은 어딘가에

샘이 숨겨져 있기 때문이다.

▶ 생각 정리

산다는 것 그것은 치열한 전투이다.

■ 명언 생각

〈로망로랑〉의 명언은 우리가 어떤 상황에서도 희망을 가지고 노력하면 결국 해결책이 나타난다는 것을 강조합니다.

우리의 삶은 늘 도전과 고난으로 가득합니다. 그러나 우리는 힘들게 노력하고, 치열한 전투를 펼치며 성장해 나가야 합니다.

삶이 어렵고 힘들더라도, 우리는 희망을 잃지 않고 끊임없이 노력하며 앞으로 나아가야 합니다.

우리에게 힘든 상황에서도 포기하지 않고, 끊임없이 노력하며 성장해 나가자는 메시지를 전달합니다.

산다는 것 그것은 치열한 전투이다.

▶ 생각 정리

삶이 있는 한 희망은 있다.

■ 명언 생각

〈키케로〉의 명언은 우리에게 힘을 주며, 어떤 어려움이 닥쳐도 희망을 잃지 않고 끝까지 노력하자는 메시지를 전달합니다.

*절망과 희망은 양면의 동전입니다.

어떤 상황에서도 절망이 따르면 항상 희망이 함께 있습니다. 시련과 어려움이 닥쳤을 때, 우리는 희망을 품고 앞으로 나아가야 합니다. 고난의 길이 끝나지 않을 것 같다 해도, 우리는 성큼성큼 걸어가고 뛰어나가야 합니다. 그리고 그 길의 끝에는 눈부신 햇살이 기다리고 있을 것입니다.

*희망은 긍정적인 태도를 유도합니다.

절망은 우리를 부정적으로 보도록 유도하지만, 희망은 사물을 긍정적으로 바라보게 합니다.

희망을 품고 노력하면 어려운 상황에서도 긍정적인 결과를 이끌어낼 수 있습니다.

삶이 있는 한 희망은 있다.

▶ 생각 정리

성공의 비결은 단 한 가지, 잘할 수 있는 일에 광적으로 집중하는 것이다.

■ 명언 생각

〈톰 모나건〉 명언은 성공을 이루기 위해서는 여러 가지 일에 동시에 집중하는 것보다, 하나의 분야에 광적인 열정과 집중을 기울이는 것이 중요하다는 의미를 담고 있습니다.

우리가 여러 가지 일을 동시에 하려고 할 때, 자원과 시간이 분산되어 효율이 떨어질 수 있습니다.
그러나 하나의 목표나 업무에 집중하고 그것을 꾸준히 잘 수행한다면, 성공에 한 발 더 가까워질 수 있습니다.

우리에게 전념과 집중의 중요성을 상기시켜주는 좋은 말입니다.

성공의 비결은 단 한 가지,

잘할 수 있는 일에 광적으로

집중하는 것이다.

▶ 생각 정리

성공해서 만족하는 것은 아니다, 만족하고 있었기 때문에 성공한 것이다.

■ 명언 생각

프랑스 철학자 〈알랭〉의 명언은 성공과 만족의 관계에 대한 새로운 관점을 제시합니다.
일반적으로 우리는 성공을 이루면 만족감을 느낀다고 생각하지만, 알랭은 이를 반대로 주장합니다. 즉, 만족하는 마음가짐을 갖고 있었기 때문에 성공할 수 있었다.

명언은 성공을 위한 핵심은 외부적인 결과에 대한 집착보다는 현재의 삶에 만족하는 마음가짐을 갖는 것임을 강조합니다. 만족하는 마음은 긍정적인 에너지를 만들어내고, 이는 성공 가능성을 높여줍니다.

따라서 성공을 위해서는 목표를 향해 노력하는 동시에 현재의 삶에 감사하고 만족하는 마음을 갖는 것이 중요합니다.

성공해서 만족하는 것은 아니다,

만족하고 있었기 때문에 성공한

것이다.

세상은 고통으로 가득하지만,
극복하는 사람들로도
가득하다.

■ 명언 생각

미국의 작가이자 사회운동가 〈헬렌 켈러〉의 명언으로 시각, 청각, 언어 능력을 모두 상실한 장애를 가지고 있었지만, 극복하고 성공적인 삶을 살았습니다.

'헬렌 켈러'의 삶 경험을 바탕으로 세상의 어려움과 고통 속에서도 희망을 잃지 않고 극복하는 사람들이 있다는 메시지를 전달합니다.
고통은 삶의 일부이지만, 극복할 수 있다는 희망을 전달합니다. 또한, 고통을 극복하기 위해 긍정적인 사고방식, 끈기, 자기 성찰, 도움 요청, 긍정적인 관계 등이 중요합니다.

어려움 속에서도 희망을 잃지 않고 극복하려는 사람들에게 용기를 주는 메시지입니다.

세상은 고통으로 가득하지만,

극복하는 사람들로도

가득하다.

▶ 생각 정리

실패는 잊어라, 그러나 실패가 준 교훈은 절대 잊으면 안 된다.

■ 명언 생각

우리가 실패했을 때, 그 실패로부터 얻은 교훈은 소중하게 기억해야 한다는 의미입니다.

실패는 성공의 길에 필요한 일종의 수업이며, 그 교훈을 통해 더 나은 방향으로 나아갈 수 있습니다. 또한, 실패를 두려워하지 않고 적극적으로 받아들이는 마음가짐이 중요하다고 생각합니다.

〈허버트 개서〉의 명언은 실패는 단순히 좌절이 아니라, 성장과 배움의 기회입니다. 그렇기 때문에 실패를 두려워하지 않고, 그것으로부터 얻은 교훈을 소중히 여기는 태도가 중요합니다.

우리에게 실패를 두려워하지 않고, 그것을 통해 더 나은 인생을 살아가도록 도와줍니다.

실패는 잊어라, 그러나 실패가 준

교훈은 절대 잊으면 안 된다.

▶ 생각 정리

어리석은 자는 멀리서 행복을 찾고, 현명한 자는 자신의 발치에서 행복을 키워간다.

■ 명언 생각

〈제임스 오펜하임〉의 명언은 행복은 외부에서 얻는 것이 아니라 자신의 마음과 행동에서 찾아야 한다는 의미를 담고 있습니다.

어리석은 사람은 먼 곳이나 미래에서 행복을 찾으려 하지만, 현명한 사람은 현재의 상황 속에서 행복을 키워나가는 노력을 합니다.

따라서 우리에게 자기 책임감을 갖고 내면에서 행복을 찾는 것이 중요하며, 외부 환경에 너무 의존하지 않아야 한다는 교훈을 전달합니다.

어리석은 자는 멀리서 행복을 찾고,

현명한 자는 자신의 발치에서

행복을 키워간다.

▶ 생각 정리

● 오늘 명언

파울로 코엘료

언제나 현재에 집중할 수 있다면 행복할 것이다.

■ 명언 생각

〈파울로 코엘료〉의 명언은 우리가 현재 순간에 집중하고 살아가는 것이 행복의 핵심이라는 메시지를 담고 있습니다.

너무 과거나 미래에 집착하지 않고, 현재에 주의를 기울이며 살면 더 행복한 삶을 살 수 있다는 것을 강조합니다.

과거의 후회나 미래의 불안에 사로잡히지 않고, 지금 하고 있는 일에 최선을 다하며 행복을 찾아가는 마음가짐이 중요합니다.

지금 이 순간을 소중히 여기고, 그 안에서 행복을 발견하자는 의미를 담고 있습니다.

언제나 현재에 집중할 수 있다면

행복할 것이다.

▶ 생각 정리

오랫동안 꿈을 그리는 사람은 마침내 그 꿈을 닮아 간다.

■ 명언 생각

〈앙드레 말로〉의 명언은 우리가 오랫동안 어떤 꿈이나 목표를 그리며 살아간다면, 그 꿈을 실현하기 위해 노력하고 힘쓰게 됩니다. 꿈을 그리는 과정에서 우리는 그 꿈에 맞는 인격과 태도를 형성하게 되며, 결국 그 꿈을 닮아가게 됩니다.

*노력과 인내: 꿈을 이루기 위해서는 오랜 시간과 노력이 필요합니다. 그러나 그 노력이 결실을 맺을 때, 우리는 꿈을 닮아가게 됩니다.

*자아 형성: 꿈을 그리는 과정에서 우리는 자신의 가치관, 목표, 인격을 발전시키게 됩니다. 이는 꿈을 닮아가는 과정에서 중요한 부분입니다.

따라서 꿈을 간직하고 그 꿈을 실현하기 위해 노력하는 자세를 가지는 것이 중요하며, 그 과정에서 우리는 더 나은 사람으로 성장하게 된다는 의미를 담고 있습니다.

오랫동안 꿈을 그리는 사람은

마침내 그 꿈을 닮아 간다.

▶ 생각 정리

키케로

용기 있는 자로 살아라,
운이 따라주지 않는다면 용기
있는 가슴으로 불행에 맞서라!

■ 명언 생각

〈키케로〉의 명언은 두 가지 중요한 메시지를 담고 있습니다.

*용기 있는 삶: 우리는 용기를 갖고 살아가야 합니다. 행운이 따라주지 않더라도, 용기 있는 마음으로 어려움과 불행에 맞서면, 용기 있는 선택과 행동이 더 나은 삶을 만들어갑니다.
*자아 강화: 불행이 찾아오더라도 용기 있는 가슴으로 맞서야 합니다. 이는 우리의 내면에서 힘을 발견하고, 어떤 상황에서도 자신을 강화하는 태도를 의미합니다.

따라서 우리에게 용기를 갖고 살아가는 중요성을 상기시키며, 불행에도 자신을 강하게 유지하는 자세를 취해야 한다는 교훈을 전달합니다.

용기 있는 자로 살아라,

운이 따라주지 않는다면 용기

있는 가슴으로 불행에 맞서라!

▶ 생각 정리

우리는 두려움의 홍수에 버티기
위해서 끊임없이 용기의 둑을
쌓아야 한다.

■ 명언 생각

〈마틴 루터 킹〉 목사의 말씀으로, 두려움을 극복하기 위한 끊임
없는 노력의 중요성을 강조합니다.

우리가 어려운 상황에서도 용기를 내고 끊임없이 노력하여 두려
움을 극복해야 한다는 메시지를 전달합니다.

'마틴 루터 킹' 목사는 민권 운동의 지도자로서 이러한 메시지
를 전파하며 역사적인 업적을 남겼습니다.

또한, 우리가 머리로 이해하기보다는 심장으로 깨닫게 되는 것
을 강조합니다. 때로는 경험과 행동을 통해 우리는 진정한 의미
를 깨닫게 되는 법입니다.

우리는 두려움의 홍수에 버티기

위해서 끊임없이 용기의 둑을

쌓아야 한다.

▶ 생각 정리

우선 무엇이 되고자 하는가를
자신에게 말하라,
그리고 해야 할일을 하라!

■ 명언 생각

〈에픽토테스〉의 명언은 인생의 방향성과 행동에 대한 중요한 메시지를 담고 있습니다.

"무엇이 되고자 하는가를 자신에게 말하라": 우리는 자주 목표를 설정하지만, 그 목표를 자신에게 분명히 말하고 인식하는 중요성을 강조합니다. 목표를 정확히 알면 그에 따른 행동을 취할 수 있습니다.

"해야 할 일을 하라": 목표를 달성하기 위해 노력하고, 계획을 세우고, 실행하는 것이 중요합니다. 이 부분은 지체하지 말고 행동으로 옮기라는 격려입니다.

우리가 목표를 설정하고 행동을 취함으로써 더 의미 있는 삶을 살 수 있다는 메시지를 전달합니다. 우리는 자신의 가치와 목표를 인식하고, 그에 따라 행동하는 것이 중요하다는 것을 기억해야 합니다.

우선 무엇이 되고자 하는가를

자신에게 말하라,

그리고 해야 할일을 하라!

▶ 생각 정리

이미 끝나버린 일을 후회하기
보다는, 하고 싶었던 일들을 하지
못한 것을 후회하라!

■ 명언 생각

과거에 이미 일어난 일을 후회하는 것은 시간 낭비이며, 긍정적
인 변화를 가져오지 않습니다.
오히려 미래에 하고 싶었던 일들을 계획하고 실행하는 데 집중
하는 것이 중요합니다. 과거에 대한 후회보다는 미래에 대한 희
망과 가능성에 집중하는 삶의 태도를 배우게 됩니다.
*과거에 대한 후회는 버리고 미래에 집중하라.
*하고 싶었던 일들을 적극적으로 계획하고 실행하라.
*현재의 순간을 최대한 즐기며 살아라.
삶을 더 의미 있게 만들기 위해 미래를 향해 노력하고, 후회하
지 않도록 행동하자는 메시지를 전달합니다.
우리는 이미 끝난 일에 대한 후회보다는 미래의 가능성을 열어
두는 것이 중요하다는 것을 기억해야 합니다.

이미 끝나버린 일을 후회하기
보다는, 하고 싶었던 일들을 하지
못한 것을 후회하라!

▶ 생각 정리

인간의 삶 전체는 단지 한 순간에 불과하다, 인생을 즐기자!

■ 명언 생각

〈플루타르코스〉의 명언은 우리가 삶을 즐기고 감사하며 순간을 소중히 여기는 중요성을 강조합니다.

우리는 미래를 예측할 수 없고 과거를 되돌릴 수 없으며 오직 현재의 순간만이 확실한 것입니다. 그래서 우리는 지금 이 순간을 최대한 즐기고 소중히 여기며 살아가야 합니다.

삶은 짧고 소중하며, 그 순간들이 모여 우리의 인생을 이루고 있습니다.

따라서 우리는 각 순간을 즐기고 감사하며 살아가는 것이 중요하다고 말할 수 있습니다.

인간의 삶 전체는 단지 한 순간에

불과하다, 인생을 즐기자!

▶ 생각 정리

인생에 뜻을 세우는데 있어서 늦은 때라곤 없다.

■ 명언 생각

〈볼드윈〉의 명언은 늦은 시기에도 새로운 목표를 세우고 도전할 수 있다는 것을 강조합니다.

종종 사람들은 "이미 늦었다"라는 변명으로 도전을 포기하곤 합니다. 그러나 우리에게 지금이라도 새로운 시작을 할 수 있다는 희망을 줍니다.

무엇보다도, 인생은 언제든지 변화하고 성장할 수 있는 기회로 가득하다는 것을 상기시켜줍니다.

따라서 우리는 늦은 때라도 뜻을 세우고 새로운 도전을 시작할 수 있어야 합니다.

인생에 뜻을 세우는데 있어서

늦은 때라곤 없다.

▶ 생각 정리

인생에서 원하는 것을 얻기 위한 첫 번째 단계는 내가 무엇을 원하는지 결정하는 것이다.

■ 명언 생각

〈벤스타인〉의 명언은 성공과 행복을 추구하기 위해 먼저 목표를 정하고 결단력 있게 나아가야 한다는 것을 강조합니다.

우리는 자신이 원하는 것을 명확히 인식하고 결정하는 순간부터 새로운 시작을 할 수 있습니다.

우리에게 목표를 향해 나아가는 첫 걸음을 내딛는 중요성을 상기시켜줍니다.

인생에서 원하는 것을 얻기 위한

첫 번째 단계는 내가 무엇을

원하는지 결정하는 것이다.

▶ 생각 정리

인생을 다시 산다면
더 많은 실수를 저지르리라!

■ 명언 생각

인생에서 배우는 것은 실수와 실패로부터 오는 교훈입니다. 〈나 딘 스테어〉의 명언이 이를 잘 표현하고 있습니다.

"인생을 다시 산다면 더 많은 실수를 저지르리라!"
이 말은 우리가 실패와 실수를 두려워하지 않고, 그것들을 통해 성장하고 배우는 기회로 삼아야 한다는 것을 상기시켜 줍니다.

더 나은 미래를 위해 용기를 내고 새로운 도전을 두려워하지 않는 자세를 갖도록 합시다.

인생을 다시 산다면

더 많은 실수를 저지르리라!

▶ 생각 정리

인생이란 학교에 불행이란 훌륭한 스승이 있다, 그 스승 때문에 우리는 더욱 단련되는 것이다.

■ 명언 생각

〈프리체〉의 명언은 깊은 의미를 담고 있습니다.

*불행이란 어려움, 실패, 고통, 슬픔과 같은 힘든 상황을 의미합니다. 즉, 불행을 통해 우리는 더 강해지고 성장할 수 있다는 것을 의미합니다.

*불행을 겪으면서 우리는 더욱 단련되며, 더 나은 사람으로 성장할 수 있습니다. 어려운 상황에서도 긍정적인 시각을 유지하고, 불행을 극복하며 성장하는 자세를 장려합니다.

불행을 통해 배우고 성장하는 과정은 우리의 삶을 더욱 풍요롭게 만들어 줄 수 있습니다.

인생이란 학교에 불행이란 훌륭한
스승이 있다, 그 스승 때문에
우리는 더욱 단련되는 것이다.

랄프 왈도 에머슨

일하여 얻으라,
운명의 바퀴를 붙들어 잡은 것이다.

■ 명언 생각

〈에머슨〉의 명언은 목표를 달성하고 성공적인 삶을 살기 위해서는 끊임없는 노력과 성취가 필수적이며, 자신의 삶을 책임지고 주도적으로 행동해야 한다는 메시지를 전달합니다.

또한, 어려움과 실패에도 굴하지 않고 긍정적인 사고방식을 유지하면 결국 목표를 이루고 운명을 개척할 수 있다는 희망을 제시합니다.

즉, 노력과 열정을 통해 우리는 운명을 조작하고 성공을 이끌어낼 수 있다는 것을 강조하고 있습니다.

우리가 어려운 상황에서도 포기하지 않고 노력하며 목표를 향해 나아가야 한다는 의미를 담고 있습니다.

일하여 얻으라,

운명의 바퀴를 붙들어 잡은 것이다.

▶ 생각 정리

자신감 있는 표정을 지으면
자신감이 생긴다.

■ 명언 생각

〈찰스 다윈〉의 명언은 자신감을 키우기 위해 얼굴 표정을 조절하는 것이 중요하다는 의미를 담고 있습니다. 여러 연구들이 이를 뒷받침하고 있습니다.

자신감 있는 표정을 지으면 뇌 내의 화학적 반응이 변화합니다. 미소를 짓거나 긍정적인 표정을 유지하면 세로토닌과 엔도르핀 같은 행복 호르몬이 분비되어 기분이 좋아집니다. 또한, 자신감 있는 표정을 취하면 다른 사람들도 긍정적으로 반응하게 됩니다. 자신감을 보여주는 행동은 주변 사람들에게도 긍정적인 영향을 미칩니다. 마지막으로, 자신감 있는 표정은 자기 자신에게도 긍정적인 효과가 있습니다. 표정이 마음에 들면 자신감이 높아지고, 이는 성공적인 결과를 이끌어내는데 도움이 됩니다.

자신감을 키우고 싶다면 미소를 짓고 긍정적인 표정을 유지하는 습관을 가지는 것이 좋습니다.

자신감 있는 표정을 지으면

자신감이 생긴다.

▶ 생각 정리

자신을 내보여라,
재능이 드러날 것이다.

■ 명언 생각

〈발타사르 그라시안〉의 명언은 자기 자신을 공개하고 보여주는 것이 중요하다는 의미를 담고 있습니다.

*자신을 내보이는 것은 우리의 재능과 능력을 빛나게 하는 방법입니다. 우리가 자신을 보여주고 노력하며 능력을 발휘하면, 그것이 우리의 재능을 드러내는 순간이 됩니다.
*자신을 내보이는 것은 또한 자신감을 키우는 방법입니다. 다른 사람들에게 우리의 능력을 보여주면, 우리 스스로도 더 자신감을 가질 수 있습니다.
또한 새로운 재능이 발견될 수 있다는 가능성을 암시합니다. 우리가 자신을 내보이고 노력하면, 예상치 못한 능력이 발견될 수 있습니다. 따라서 자신의 재능을 발휘하고 성공을 이끌어내기 위해 자신을 내보이는 습관을 가지는 것이 좋습니다.

자신을 내보여라,

재능이 드러날 것이다.

자신이 해야 할 일을 결정하는 사람은 세상에서 단 한 사람, 오직 나 자신뿐이다.

■ 명언 생각

〈오손 웰스〉의 명언은 우리 자신이 어떤 행동을 취할지 결정하는 권한은 오직 우리 자신에게만 있다는 의미를 담고 있습니다.
*자신의 선택과 행동은 우리 인생의 주인공인 우리 자신에게 달려 있습니다. 다른 사람이나 환경의 영향을 받지 않고, 오로지 나 자신이 어떤 길을 선택하고 어떤 일을 해야 할지 결정할 수 있습니다.

*이는 자기 결정력과 책임을 강조하는 말입니다. 우리가 어떤 방향으로 나아가고 어떤 목표를 향해 노력할지는 우리 스스로가 결정하고 실행해야 합니다.

*때로는 다양한 의견이 있고 다른 사람들의 조언을 듣기도 하겠지만, 최종적으로 결정하는 주체는 나 자신이라는 것을 기억해야 합니다. 자신의 목표와 가치에 따라 결정을 내리고 행동하는 데 있어서 자신을 믿고 단호하게 나아가는 것이 중요합니다.

자신이 해야 할 일을 결정하는

사람은 세상에서 단 한 사람,

오직 나 자신뿐이다.

▶ 생각 정리

작은 기회로 부터 종종 위대한
업적이 시작된다.

■ 명언 생각

〈데모스테네스〉의 명언으로 작은 기회가 종종 큰 업적의 시작이
된다는 의미를 담고 있습니다.

*작은 기회는 우리 인생에서 빈번하게 찾아옵니다. 때로는 우리
가 그것을 무시하거나 경시할 수 있지만, 이 작은 기회가 우리
의 능력과 열정을 발휘하는 출발점이 될 수 있습니다.

*위대한 업적은 작은 성공과 노력의 연속으로 이루어집니다. 작
은 기회를 잡고 노력하며 쌓인 능력이 큰 성과로 이어질 수 있
습니다.

*우리는 일상적인 상황에서도 주변을 주시하고 작은 기회를 놓
치지 않아야 합니다. 작은 성공이 큰 성공으로 이어지는 길이
될 수 있습니다.

따라서 우리는 작은 기회를 소중히 여기고 노력하여 위대한 업
적을 이루는 길을 걷는 것이 중요합니다.

작은 기회로 부터 종종

위대한 업적이 시작된다.

▶ 생각 정리

절대 어제를 후회하지 마라, 인생은 오늘의 내 안에 있고 내일은 스스로 만드는 것이다.

■ 명언 생각

〈L. 론 허바드〉의 명언으로 과거를 후회하지 않고 현재의 순간을 살며 미래를 스스로 만들어 나가야 한다는 의미를 담고 있습니다.

*과거를 후회하지 않는 것은 우리의 삶을 더욱 풍요롭게 만듭니다. 어제의 실수나 실패를 후회하는 대신, 현재의 순간을 최선으로 살아가며 미래를 준비해야 합니다.

*오늘의 나는 우리가 현재하는 선택과 행동으로 이루어집니다. 우리가 지금 무엇을 하느냐에 따라 내일의 결과가 결정됩니다.

*우리는 자신의 삶을 주도해야 합니다. 미래를 스스로 만들어 나가기 위해 지금을 소중히 여기고 노력해야 합니다.

따라서 우리는 과거를 후회하지 않고 현재의 순간을 살며 미래를 계획하고 준비하는 습관을 가지는 것이 중요합니다.

절대 어제를 후회하지 마라,

인생은 오늘의 내 안에 있고

내일은 스스로 만드는 것이다.

▶ 생각 정리

좋은 성과를 얻으려면 한 걸음 한 걸음이 힘차고 충실하지 않으면 안 된다.

■ 명언 생각

〈단테 알리기에리〉의 명언은 성공을 이루기 위해서는 지속적인 노력과 충실한 태도가 필요하다는 의미를 담고 있습니다.

*성과를 얻으려면 한 걸음 한 걸음이 힘차고 충실해야 합니다. 큰 목표를 이루기 위해서는 작은 노력과 꾸준한 집중이 필요합니다.

*지속적인 노력은 성공의 핵심입니다. 우리가 목표를 향해 끊임없이 나아가고, 작은 성과를 쌓아나가면 큰 성과를 이룰 수 있습니다.

또한, 힘차고 충실한 태도는 우리의 내면을 강화하고, 어려움을 극복하는 데 도움이 됩니다.

따라서 우리는 목표를 향해 끊임없이 노력하고, 작은 성과를 소중히 여기며 성공을 이루는 길을 걸어가야 합니다.

좋은 성과를 얻으려면 한 걸음

한 걸음이 힘차고 충실하지

않으면 안 된다.

▶ 생각 정리

진정으로 웃으려면 고통을 참아야하고, 고통을 즐길 줄 알아야 한다.

■ 명언 생각

〈찰리 채플린〉의 명언은 깊은 인생의 의미를 담고 있습니다.

*고통을 참는 것: 우리는 때로는 어려운 상황에서 고통을 겪게 됩니다. 그러나 이 고통을 참고 이겨내면 진정한 웃음을 찾을 수 있습니다.

*고통을 즐기는 것: 이 부분은 조금 더 깊은 의미를 담고 있습니다. 고통 속에서도 긍정적인 마음가짐을 유지하고, 그 상황에서 무엇을 배울 수 있는지 생각해보는 것이 중요합니다.

'찰리 채플린'은 자신의 코미디와 연기를 통해 어려움과 고통을 웃음으로 바꾸는 기술을 보여주었습니다. 우리도 어려운 순간에서 긍정적인 시각을 유지하며 고통을 이겨낼 수 있어야 합니다.

따라서 우리는 고통을 겪을 때도 긍정적인 마음가짐을 유지하고, 그 과정에서 성장하며 웃음을 찾아야 합니다.

진정으로 웃으려면

고통을 참아야하고,

고통을 즐길 줄 알아야 한다.

▶ 생각 정리

진짜 문제는 사람들의 마음이다, 절대로 물리학이나 윤리학의 문제가 아니다.

■ 명언 생각

〈알버트 아인슈타인〉의 명언으로 우리가 직면하는 문제와 고민은 결국 사람들의 마음과 태도에서 비롯된다는 것을 강조하고 있습니다.

*문제의 근본은 사람들의 마음에 있다. 물리학적인 현상이나 윤리적인 고려와는 별개로, 우리가 마주하는 문제들은 결국 사람들의 태도, 감정, 행동에서 비롯됩니다.
*우리는 문제를 해결하거나 성공을 이루기 위해 자신의 마음을 이해하고 관리해야 합니다. 내면의 태도와 감정이 문제 해결에 큰 영향을 미치기 때문입니다.

따라서 우리는 문제를 해결하거나 성공을 이루기 위해 자신의 마음을 관리하고 긍정적인 태도를 유지하는 것이 중요합니다.

진짜 문제는 사람들의 마음이다,

절대로 물리학이나 윤리학의

문제가 아니다.

▶ 생각 정리

최고에 도달하려면
최저에서 시작하라!

■ 명언 생각

〈P. 시루스〉의 명언은 성공을 이루기 위해서는 처음부터 꾸준한 노력과 시작이 필요하다는 의미를 담고 있습니다.

*최고에 도달하려면 최저에서 시작해야 합니다. 큰 목표를 이루기 위해서는 작은 시작과 꾸준한 노력이 필요합니다.
*우리가 어떤 분야에서든 처음부터 열심히 노력하고, 기반을 다지는 것이 중요합니다.
*성공은 단 한 번의 노력으로 이루어지지 않습니다. 지속적인 노력과 꾸준한 발전이 필요합니다.

따라서 우리는 작은 시작을 소중히 여기고 최고의 성과를 이루기 위해 끊임없이 노력하는 습관을 가지는 것이 중요합니다.

최고에 도달하려면

최저에서 시작하라!

▶ 생각 정리

평생 살 것처럼 꿈을 꾸어라, 그리고 내일 죽을 것처럼 오늘을 살아라!

■ 명언 생각

〈제임스 딘〉의 말로, 삶을 최선으로 살고 미래를 준비하되, 현재의 순간을 소중히 여기라는 의미를 담고 있습니다.

*평생 살 것처럼 꿈을 꾸어라: 우리는 꿈과 목표를 가지고 살아야 합니다. 미래를 상상하며 꾸는 꿈이 우리를 움직이게 하고, 더 나은 삶을 만들어 나갈 수 있도록 도와줍니다.
*내일 죽을 것처럼 오늘을 살아라: 미래의 불확실성을 인지하면서도 현재의 순간을 소중히 여겨야 합니다. 오늘을 최선으로 살면서도 내일을 준비해야 합니다.

따라서 우리는 꿈을 키우고 미래를 준비하면서도 현재의 순간을 소중히 여기며 살아가는 것이 중요합니다.

평생 살 것처럼 꿈을 꾸어라,

그리고 내일 죽을 것처럼

오늘을 살아라!

▶ 생각 정리

피할 수 없으면 즐겨라!

■ 명언 생각

〈로버트 엘리엇〉의 명언으로 어떤 상황에서도 긍정적인 태도를 유지하고 즐거움을 찾으려는 마음가짐을 강조하고 있습니다.

*피할 수 없는 상황이라도, 우리는 그것을 부정적으로 받아들이지 않고 긍정적으로 바라볼 수 있습니다. 어떤 상황에서도 즐거움을 찾으려는 노력이 중요합니다.
*우리는 자신의 태도와 마음가짐을 선택할 수 있습니다. 어떤 상황이든 긍정적으로 받아들이고 즐기는 태도를 가지는 것이 중요합니다.

우리에게 유연성과 적응력을 가지도록 도와줍니다. 어떤 상황에서도 즐거움을 찾고 긍정적으로 대처하는 습관을 기르는 것이 중요합니다.

★ 명언 따라 쓰기

피할 수 없으면 즐겨라!

▶ 생각 정리

해야 할 것을 하라!
타인의 행복을 위해서,
동시에 나의 행복을 위해서이다.

■ 명언 생각

〈톨스토〉의 명언은 우리가 해야 할 일을 통해 타인과 나 자신의 행복을 동시에 추구해야 한다는 의미를 담고 있습니다.

*해야 할 일을 하라: 우리는 책임감 있게 일을 수행하고, 목표를 향해 노력해야 합니다. 미루지 말고 지금 행동하는 것이 중요합니다.

*타인의 행복을 위해서: 우리의 행동이 다른 사람들에게도 긍정적인 영향을 미치도록 해야 합니다. 서로 도와주고 배려하는 마음을 가지는 것이 중요합니다.

*나의 행복을 위해서: 자신의 행복도 중요합니다. 타인의 행복을 추구하면서도 자신의 행복을 잊지 않아야 합니다.

따라서 우리는 책임감 있게 행동하고 타인과 나 자신의 행복을 동시에 생각하는 습관을 가지는 것이 좋습니다.

해야 할 것을 하라!

타인의 행복을 위해서,

동시에 나의 행복을 위해서이다.

▶ 생각 정리

행복은 습관이다, 몸에 지니라.

■ 명언 생각

〈허버드〉의 명언은 우리의 행복은 일상적인 습관과 태도에서 비롯된다는 의미를 담고 있습니다.

행복은 습관이라는 것은 우리가 일상적으로 하는 행동과 생각이 우리의 행복에 큰 영향을 미친다는 것을 의미합니다. 우리는 긍정적인 습관을 가지고 살아야 합니다. 미소를 짓고 감사의 마음을 품는 것이 행복을 찾는 첫걸음입니다.
우리에게 자기 관리와 긍정적인 태도를 중요하게 여기도록 도와줍니다. 우리가 스스로 행복을 만들어내는 주체라는 것을 상기시킵니다.

따라서 우리는 긍정적인 습관을 가지고 행복을 찾고, 그것을 일상적으로 실천하는 것이 중요합니다.

행복은 습관이다, 몸에 지니라

▶ 생각 정리